金色童书 Golden Books **Richard Scarry** 理查德·斯凯瑞 [美]

热热闹闹的 世界

贵州出版集团公司 贵州人民出版社

北美洲

南美洲

非洲

加拿大

苏格兰　丹麦　挪威

爱尔兰

伦敦

纽约　荷兰

阿尔及尔

比利时

墨西哥

夏威夷

法国

罗马

尼斯

威尼斯

里约热内卢

摩纳哥　希腊

欧洲

亚洲

澳大利亚

瑞典

芬兰

俄罗斯

波兰

德国

奥地利

印度

东京

中国香港

瑞士

以色列

埃及

非洲

澳大利亚

小猫泡泡在伦敦

梦想着美好前程的小猫泡泡来到伦敦。
他希望能为女王陛下效劳。

泡泡的第一站是伦敦塔。
泡泡想成为一名威严神气的皇家卫兵，
可以守卫女王的珠宝。
真可惜！那里现在不缺人手。

泡泡第二站来到女王陛下的宫殿。
守护宫殿的卫兵们都忙着站岗呢，根本没工夫搭理他。

泡泡第三站到了英国政府所在地白厅大街，皇家骑兵正在巡逻执勤。泡泡生怕被他们雄赳赳的步伐踩踏到，赶紧跑开了。

泡泡觉得非常难过，他根本没机会为女王效劳。

忽然，他在街头看到一条特大新闻——女王陛下的戒指神秘失踪。

"女王现在一定也很难过！"泡泡自言自语道。

泡泡经过喷泉时，看到里面有好多枚人们祈求好运扔进去的硬币。

忽然，他发现有个东西好像不是硬币，金晃晃的，闪耀着光芒！

"哇，是一枚戒指！没准就是女王丢的那枚！"泡泡高兴极了，他把戒指交给了警察。

他们很快被带到了女王面前。这正是女王陛下丢失的那枚戒指！找回了戒指，女王非常开心！

女王任命小猫泡泡为"皇家喷泉卫士"。

泡泡的工作就是每天把人们扔进喷泉里的"幸运硬币"捞出来。

女王用这些钱为那些无家可归的流浪猫买食物。

她可真是位好女王啊！

酷斯酷斯——阿尔及利亚侦探

酷斯酷斯是阿尔及利亚最出色的侦探。他特别擅长化装。

·酷斯酷斯化了装，在强盗培伯的家门前走来走去。他绞尽脑汁想混进那个贼窝，把培伯一伙一网打尽。

你能看得出哪个是酷斯酷斯吗？肯定认不出来吧，因为他化装的技巧非常高明！

突然，酷斯酷斯想出了一个好主意。他飞快地跑回警察局，把计划讲给正在那里等候自己的助手猫和小耗子听。

"您的主意真是太棒了，酷斯酷斯！"大家听后都非常赞同。

天黑以后，一支小分队来到了强盗培伯的老巢门前。
咣！咣！咣！
他们敲响了门。

"是谁在敲我的门？"大强盗培伯咆哮着问。

"是我呀，漂亮的舞女法蒂玛，还有我的乐队。"
一个甜美的声音回答道，"我们是来为您表演的。"

"进来，快进来。"培伯说着赶紧打开门让他们
进去了。

法蒂玛的舞跳得真好啊！她真是太迷人了！

"再来一个！再来一个！"培伯高兴地喊着。

"我还有更多的惊喜要献给您，"法蒂玛说，
"但是要先蒙上您的眼睛。"

于是培伯和他的同伙们都被蒙上了眼睛，乖
乖地跟着法蒂玛走出了房门……

一直走进了……警车里！

强盗变成了犯人！培伯团伙终于被精明的化装大
师酷斯酷斯抓获了！！！

哎呀，酷斯酷斯真是个有办法的家伙啊！

恩斯特——瑞士登山家

山羊恩斯特是个登山家，他能上山也能下山。

山羊海蒂有一头会爬山的母牛。但是，她的母牛只会上山不会下山。

有一天，恩斯特正吹着他的长山笛，海蒂跑过来对他说："我的母牛又爬到山上去下不来啦！"

恩斯特拿上工具爬上了山。

"这是我最后一次从山上帮海蒂把她的母牛带下来。"他心里想。

他用绳子绑在母牛身上，然后，小心翼翼地把母牛放下山去。

突然，他手一滑！……

……恩斯特和母牛都摔了下去！！！

幸好恩斯特及时地用他的登山斧勾住了一根树枝，
才阻止了惨剧的发生。

"我再也不会帮你带母牛下山了。"恩斯特对海蒂
嚷嚷道。

很久以后的一天，海蒂又来找恩斯特，她说：
"我的母牛又爬到山上去啦！"

恩斯特赶紧拿起他的绳子和登山斧头。

"这是我最后一次把你的母牛从山上带回来。"
他又对海蒂嚷嚷道。

这真会是最后一次吗？

悠悠警官
——加拿大警察

在加拿大西北部的金色小镇上，祥和的一个日子，悠悠警官工作的警察局大门被突然撞开了。

"克朗小子和坏皮特回来了！"驼鹿格拉布对他喊道。也就是说麻烦来了，他们可是全加拿大最讨厌的两个家伙。

悠悠跑出门向外看去。
街上所有的人都在以最快的速度跑开。大家都怕遇到那两个恶棍。

悠悠可不怕他们。
"我得小心点。"他一边心里想着，一边勇敢地走在大街上。

他正好看到难看的克朗小子！这家伙刚抢了一个小女孩的棒棒糖，小女孩害怕地在一边大哭着。

他还看到可恶的坏皮特正在欺负一位老奶奶，这家伙故意地弄了老奶奶满身泥点。

哦，悠悠可不认为那家伙是在开玩笑！

"你们都是坏蛋，"悠悠说，
"我要把你们抓到监狱里去。"

小心啊，悠悠警官！他们好像要打你！

悠悠机灵地躲开了他们。

悠悠将这两个恶棍捆回了监狱。他们将一直待在那儿，直到学会不再干坏事。

15

丹麦的城堡

要是你住在城堡里，就必须要遵守一些规定。
其实在普通房子里也是一样的。

点上一盏灯，帮助城堡里的女巫在晚上能找到回家的路。

不要在城堡或者房子里奔跑。

在餐桌上要注意言行举止。

不要把身体探出窗外，
那样很可能会摔下去。

拜见国王和王后的时候，男孩
要鞠躬，女孩要行屈膝礼。

在进入城堡之前，
先把脚底擦干净。

不要在护城河里钓鱼。

火龙饿了的时候，别忘记喂它。

不要太淘气。调皮捣蛋
的人会被关进地牢里。

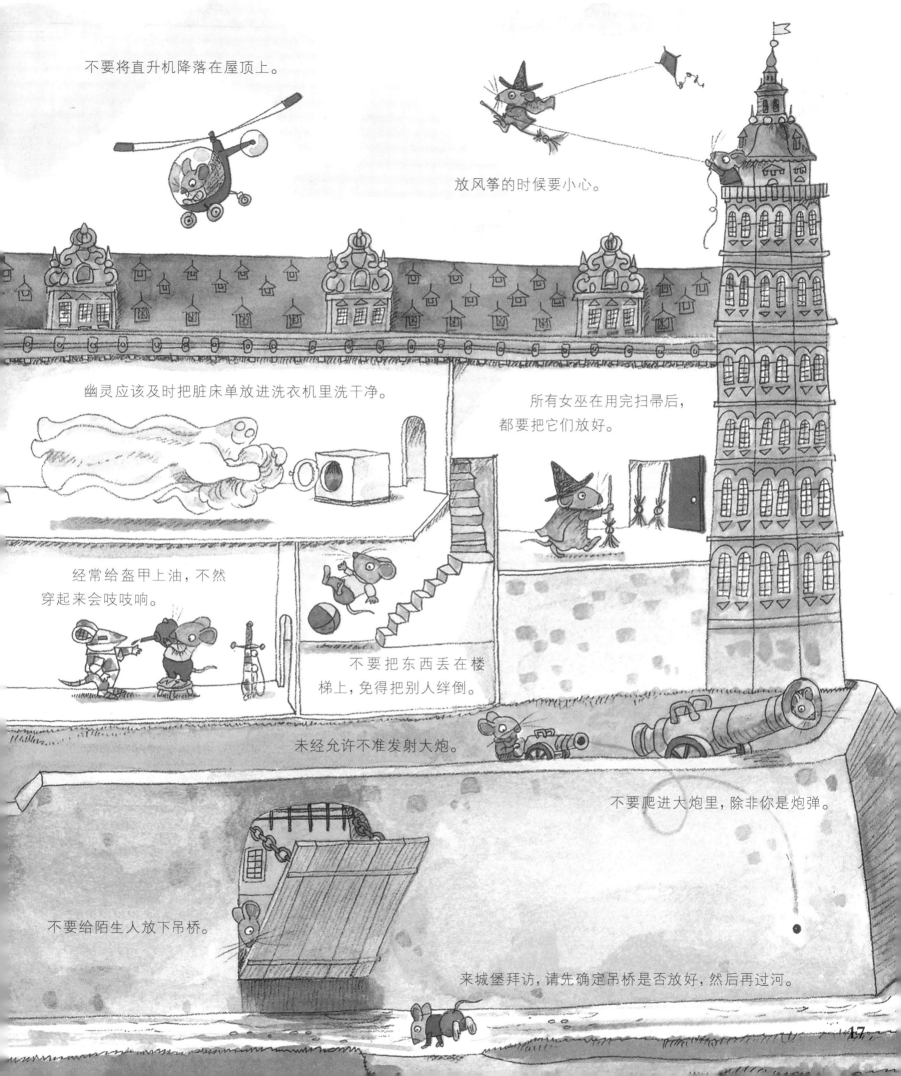

不要将直升机降落在屋顶上。

放风筝的时候要小心。

幽灵应该及时把脏床单放进洗衣机里洗干净。

所有女巫在用完扫帚后，都要把它们放好。

经常给盔甲上油，不然穿起来会吱吱响。

不要把东西丢在楼梯上，免得把别人绊倒。

未经允许不准发射大炮。

不要爬进大炮里，除非你是炮弹。

不要给陌生人放下吊桥。

来城堡拜访，请先确定吊桥是否放好，然后再过河。

17

史姆其——德国扫烟囱的人

史姆其每天都要去烟囱里面扫煤灰，他浑身上下总是脏兮兮的。他走在街上就像一小朵冒着黑烟的乌云。

他去一位洗衣工太太的家帮忙打扫烟囱。洗衣工太太非常爱干净，她刚刚把洗好的衣服晾在院子里。

"哦，天哪，"她对史姆其说，"到屋顶去吧，但是绝对不能把你的脏脚印留在我干净的墙壁上！"

史姆其上了屋顶。那位太太的小儿子汉斯在后面跟着他。

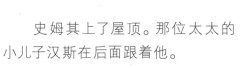

史姆其来到屋顶开始检查烟囱到底有多脏。好脏啊！小汉斯看不见他了。

"小心！"一个骑着自行车路过的男孩对小汉斯喊道，"小心啊！注意脚下！！"

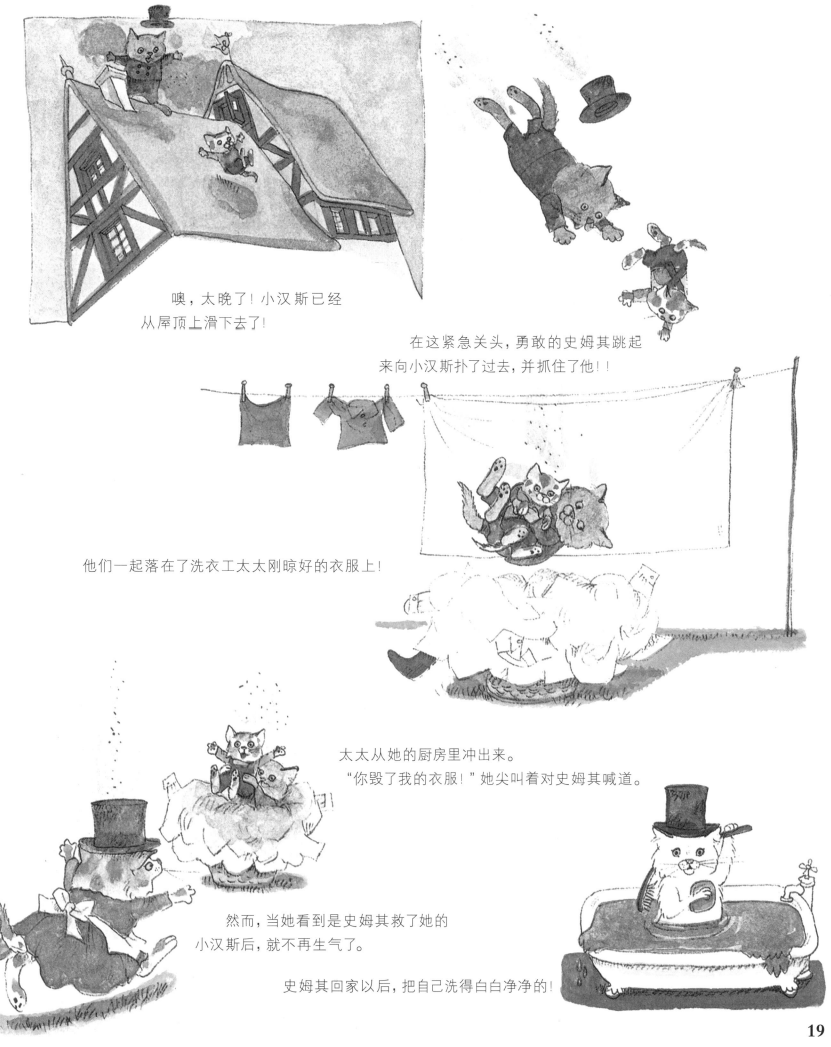

噢，太晚了！小汉斯已经
从屋顶上滑下去了！

在这紧急关头，勇敢的史姆其跳起
来向小汉斯扑了过去，并抓住了他！！

他们一起落在了洗衣工太太刚晾好的衣服上！

太太从她的厨房里冲出来。
"你毁了我的衣服！"她尖叫着对史姆其喊道。

然而，当她看到是史姆其救了她的
小汉斯后，就不再生气了。

史姆其回家以后，把自己洗得白白净净的！

汉斯——荷兰水管工

汉斯生活在荷兰的一个小镇上。

不知道为什么每天下班回家的时候，汉斯总是全身湿漉漉的。这让他的太太很生气。

有时候是因为他忘记带雨伞。

有时候因为他上班时修理了　根漏水的管道。

他还因为走路不看路摔到了河里，那可真的是湿透了。

荷兰有很多土地都低于海平面。为了防止海水回灌进来，人们修建了许多堤坝。如果一条堤坝上有漏洞，海水就会从那里大量涌入，所有的土地都会被海水淹没。

有一天，汉斯发现堤坝上破了个很大的洞，已经有海水从那里漏进来了。必须赶快堵住它，才能阻止更严重的漏水。一位记者正守在旁边准备为这个见义勇为的英雄拍照呢。

结果，汉斯把这个记者塞到了破洞里暂时堵住了漏水。但记者并不是补缺口的最好材料啊。于是，汉斯骑上自行车去找沙袋。当他回来的时候才把可怜的记者从那个洞里拖出来，换上了沙袋。

为此，荷兰的市长给汉斯颁发了一枚奖章。汉斯不仅补好了全荷兰最大的漏洞，自己还一点都没弄湿。他的妻子为此也非常高兴。

汉斯回家时候，天开始下起了大雨。但这次他没忘记带雨伞。今天，汉斯以为他会又愉快又干爽地回到家，妻子也不会再生他的气了。

噢！等等！扑通，汉斯没看见那座桥被断开了！

皮埃尔——法国警官

皮埃尔警官正忙着指挥交通，突然听见有人大喊："抓强盗啊，抓强盗啊！"
原来有贼偷了商店的珠宝，正准备开车逃跑呢。

23

皮埃尔立刻跳上他的自行车，跟在强盗后面紧追不舍，一边追还一边拼命地吹哨子。

皮埃尔警官和强盗在拥挤的街道上开始了赛跑。

四星级餐厅

突然，强盗开的车撞上了路边的咖啡店，强盗跳下车冲进了咖啡馆。

皮埃尔紧跟着强盗也冲了进去。

嘟——嘟——

……厨房里。

"强盗在哪儿？"皮埃尔冲大厨喊道。

可大厨并没看见什么强盗啊……

倒霉的皮埃尔，他把强盗给追丢了。

"噢……，您煮的汤真是太香了，"皮埃尔对大厨说，"我可以尝尝吗？"

他把爪子伸进锅里。

看，皮埃尔发现了什么！

是强盗！强盗就躲在煮汤的锅里。

不过，在皮埃尔把强盗带走之前，他们还和大厨一起坐下来品尝了美味的汤。

"这真是一锅美味无比的汤啊！"大厨对强盗说，"或许等你接受完惩罚之后，可以回来帮我煮汤呢。我们可以叫它'强盗汤'。"

大家都觉得这是个好主意！

笛格教授和他的埃及木乃伊

笛格教授整天在沙漠里进行考古挖掘工作。

他挖啊，挖啊，终于有一天，他挖到了一具栩栩如生的木乃伊！这真是一件无比开心的事情。

他决定把木乃伊送到开罗博物馆去，在那里参观者都会看到它并且会说："啊哈！真漂亮啊！"

当教授到达开罗的时候，他是又热又渴啊。

他决定在阿里巴巴开的餐厅停留一下，喝杯冰柠檬汁。

"你能帮忙照看一下我的木乃伊吗？我想坐下来喝杯冰柠檬汁。"教授问阿里巴巴。

可阿里巴巴并不认为这是件好事。他把那具木乃伊看成是教授还活着的妈妈了！！

这儿子真好啊，在经过那么炎热的旅行之后，他把他妈妈扔在这儿，他自己去喝冰柠檬汁？阿里巴巴对木乃伊说："您一定很累了，请允许我帮您坐到椅子上去吧。"

然后，阿里巴巴把木乃伊搬到了椅子上。

"唉，可怜的夫人，"阿里说，"长途旅行后您的身体都僵硬得没法坐下了，或许把腿架起来躺在地上会感觉舒服点。"

"嗯，就这样吧。我觉得您看起来已经好些了，"他继续对木乃伊说，"您的衣服上有点灰尘。让我帮您掸掉吧。是啊，这样您看上去就更不错了。"

"噢，棕榈屋的音乐已经响起来了。咚嗒咚嗒咚——我可以和您跳个舞吗？反正我们还在等您的儿子。咚嗒咚——哈，夫人您真是位令人愉快的舞伴。"

这时候，教授走了过来。他谢过阿里巴巴之后，就扛着木乃伊走了。

"噢，天啊，那个儿子是怎样对待他妈妈的啊，"阿里巴巴非常吃惊，"能想象吗？把妈妈顶在头上！我绝对不会那样对我妈妈的！你会吗？"

29

马里奥——威尼斯船夫

马里奥有一艘装甜瓜的小船。对他来说，这船虽然不像刚朵拉那么漂亮，但却非常实用。马里奥非常辛勤地贩卖他的甜瓜，就是希望有一天能买一条属于自己的漂亮的刚朵拉。

"那条用鲜花装饰的刚朵拉多好看啊，"他对自己说，"一定是去参加婚礼的。"

没错！那条刚多拉停在一所宫殿前。美丽的蒂娜公主正和她的父亲一起走出来。她要乘坐刚朵拉去教堂举行婚礼。

噢——真丢人啊。小巧的刚朵拉被胖公主蒂娜给弄翻了！她还怎样去教堂结婚呢？

不用怕！马里奥来了！由于经常搬运甜瓜，他已经很强壮了。他帮助蒂娜和她的父亲上了他的小船。

马里奥载着蒂娜和她父亲向教堂划去。所有人都觉得带一大堆甜瓜去参加婚礼是件很好笑的事。

蒂娜终于和托尼结婚了。她非常开心地吻了托尼。蒂娜的父亲也非常开心地吻了马里奥。如果没有他，这个婚礼就举行不成了。

蒂娜的父亲送了马里奥一条崭新发亮的刚朵拉作为礼物。马里奥把甜瓜船放进了地下室。现在，他是一名真正的刚朵拉船夫了。

在浪漫的月光下，他一边唱歌一边划动着双桨。但是，到了节假日马里奥还是会取出那条装甜瓜的小船。

就像你看到的这样……

……蒂娜和托尼现在有了一大堆孩子，他们需要一条坚固结实的船，把全家都装下。你说对吧！

香港的阿啾

阿啾的鼻子经常会发痒。
每次一痒阿啾就会打喷嚏。
啊——啾——！

有一次就因为这个，糟糕的事情发生了。

那天，阿啾挑了两筐鸡蛋往家走。一路上
他小心翼翼的，生怕把鸡蛋弄碎了。
这时候，他的鼻子又痒了。

啊——啾——
这次他打了个很大的喷嚏。

阿啾的鸡蛋没有摔碎。但是，他的鼻子越来越痒。

啊——啾——！

幸运的是没有人受伤。
两筐鸡蛋也很幸运地没有被摔破。

最后，阿啾安全地回到了家。他的太太和孩子小阿啾正在等他。阿啾太太把锅放在炉子上，准备做白水煮蛋给全家当晚饭。

然后，你知道发生了什么吗？他们的宝宝小阿啾轻轻地打了个小喷嚏！

"我想，晚饭我们只能喝碎鸡蛋汤了……"阿啾太太无奈地说。

克鲁恩——俄罗斯医生

星期一的时候，克鲁恩大夫检查了狮子的牙齿。

星期二，他检查了美洲鳄鱼的牙齿。

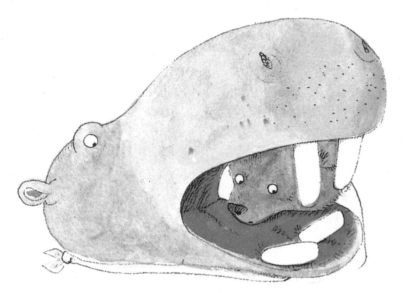

星期三，他看了河马的牙齿。

星期四到了，海象问克鲁恩医生："你每天检查牙齿不觉得烦吗？"

"当然不！"他回答说，"我喜欢牙齿！"

星期五，他帮助一位和善的老奶奶清洗了牙齿。

"阿姨，您最近都吃了些什么呀？"老太太不回答，只是咯咯地笑。

星期六的时候，克鲁恩医生很高兴，他对老鼠莫乐先生说："您的牙齿非常健康。"

星期天，克鲁恩太太说话了。"整个礼拜你都在看牙，该歇歇了。去看点什么别的东西吧。为什么不去自然历史博物馆，看看鸟啊花啊什么的？"

于是，克鲁恩医生去了博物馆，他看了鸟类和花……还有……其他的东西。

鲸

请勿触摸

摩纳哥的蒙迪警官

蒙迪警官是大家的好朋友，他工作非常认真。

他常常提醒大家：
"过马路时要走人行道。"
"注意看两边的车辆。不要乱跑！步行通过！"

"不要向别人扔东西，
以免伤害他人。"

"千万千万不要在深水边玩耍。
附近可能没人来救你！"

"不要随便推撞别人，
没人喜欢行为粗鲁的人。"

危险

"坐车时不要把身子探出窗外。"

"不要在马路上追赶皮球。"

"在人行道或者自家院子里玩耍，千万不能在马路上玩耍。"

"千万不要跟陌生人走。"

"坐车的时候，要像一位小姐或者绅士，注意自己的行为举止。"

"不管怎样，都不要把迷路的鳄鱼带回家，说不定它会咬人！"

两个挪威渔夫

码头上，有一大群可爱的孩子在等他们的奥拉夫和奥斯卡叔叔。他们等着这两位叔叔钓条大鱼回家当晚餐。

奥拉夫叔叔钓上来一个破锡罐。
奥斯卡叔叔什么也没钓到。

奥拉夫叔叔钓上来一只橡胶靴。
奥斯卡叔叔什么也没钓到。

奥拉夫叔叔钓上来一只旧轮胎。
奥斯卡叔叔什么也没钓到。
奥斯卡叔叔到底是不是渔夫啊？
他怎么什么也钓不上来呀。

噢！！奥斯卡叔叔钓上来一条鱼。

他把船划回码头，那里有好多侄子和侄女在等着呢……

……那天的晚餐上，所有的人都吃到了非常美味的鱼肉！

印度的拉吉尔

拉吉尔是印度的一名士兵。

一天，有个预言家对他说："今天有东西会从天上落下来，能让你的太太非常开心。"

于是，拉吉尔走在大街上时都在想，到底是什么东西会从天上掉下来呢？

整整一天过去了，什么也没有从天上落下来。于是，他很生气地跑回去找那个预言家："你告诉我会有东西从天上落下来，还能让我太太高兴，可我什么也没看到。"

"今天还没结束呢。"预言家回答道。

这时候，有盆花从楼上掉了下来，正好落在拉吉尔头上，而他却没有发现。

拉吉尔只好回家去见他的太太。

"亲爱的，你真好！"她说，"你给我买了花！"

就像那个预言家所说，她真的很开心。

南美狂欢节

　　每个人都想飞到美丽的里约热内卢去，参加那里的狂欢节。

　　狂欢节真是太好玩了！

　　所有人都想去唱歌跳舞，吃美味的食物。所有人，除了诺亚，一条大蟒蛇。他不喜欢唱歌，也没有腿可以跳舞。他只想到狂欢节上去吃东西。

　　飞机装满了旅客，就要准备起飞了。就在最后一分钟时，蚂蚁阿姨跑来了。

　　"还能再装一个。"空中小姐说。

噢，天哪！这次她可大错特错了！看上去个子很小的蚂蚁阿姨一挤进来，飞机就裂开了！

"现在，我们怎么去参加狂欢节啊？"乘客们都在问。

"我想我知道该怎么办，"诺亚说，"大家都在位子上坐好。"

诺亚用自己的身体把飞机缠了起来，缠得严丝合缝的。

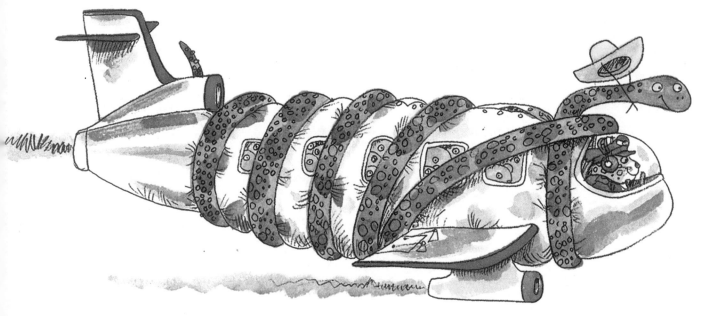

于是，飞机就这样安全地飞到了里约热内卢。

大家在那里度过了愉快的时光。
他们都在唱歌、跳舞，品尝美味的食物。
除了诺亚，他就知道吃……

思文忙碌的一天

思文和他的太太，居住在瑞典的一个农场里。
早餐时他吃了一根小黄瓜。

他戴上草帽去牛棚挤奶。可母牛把牛奶桶给踢翻了。

他喂鸡还拣了鸡蛋。

他去火车站，取一个从城里捎来的包裹。

包裹里，是送给他太太的礼物。思文还调皮地试戴了下。

他回到家，把帽子交给太太。他的太太
为他准备了午餐，还是一根小黄瓜。

吃过午饭后，思文到田野里带回来很多干草。他的母牛很喜欢吃干草和稻草。

他把干草放进牛棚里。可是风把他的草帽也吹了进去。那天很热，思文又干又渴。所以他想先喝点水再爬进牛棚去取回草帽。

他走到井边想喝水。结果，他掉下去了！

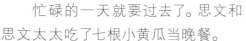

思文太太把他从井里拖了出来。可她的新帽子又掉进了井里。

忙碌的一天就要过去了。思文和思文太太吃了七根小黄瓜当晚餐。

思文的母牛发现了
思文的草帽在
思文的牛棚里。
思文的母牛吃了
思文的草帽当晚餐。

阿尔伯特——比利时船长

阿尔伯特的船愉快地航行在运河上。
他的妻子把洗好的衣服晾在绳子上。
小猪彼得正梦想着能钓到一条大鱼。

"有鱼了！有鱼了！我钓了条大鱼！"彼得很激动。

"你钓到的是一个船长！"阿尔伯特对他说，
"现在我怎么才能回到船上去呢？"

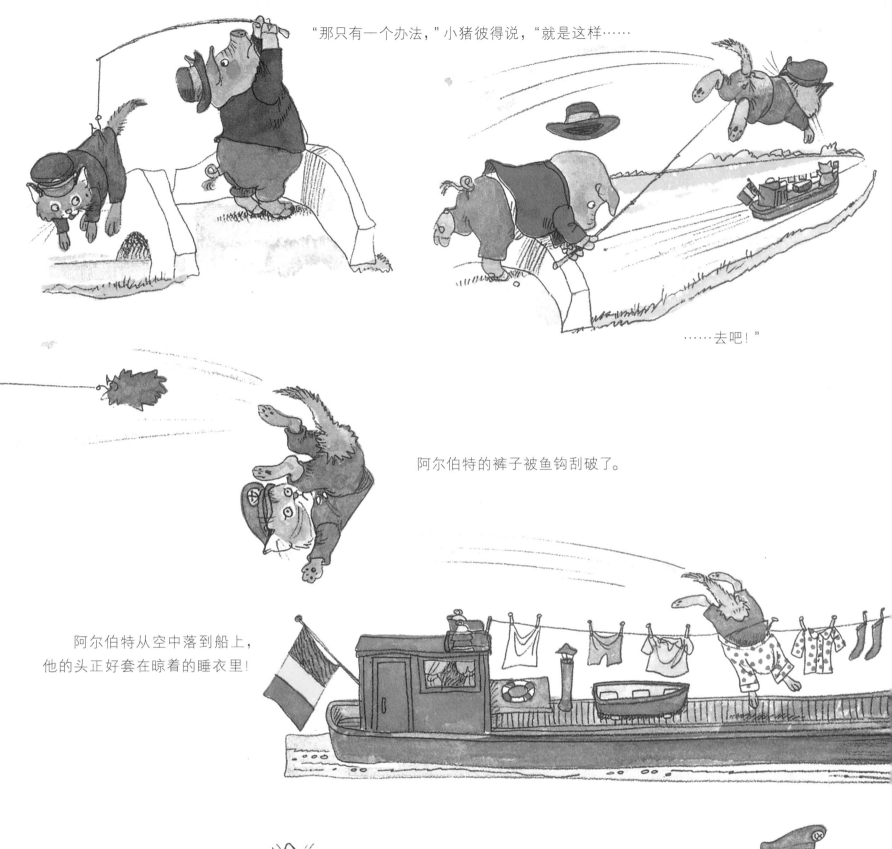

"那只有一个办法，"小猪彼得说，"就是这样……

……去吧！"

阿尔伯特的裤子被鱼钩刮破了。

阿尔伯特从空中落到船上，他的头正好套在晾着的睡衣里！

"你为什么在大中午穿着睡衣？"他的妻子问他，"你又是怎么把那条漂亮的新裤子给撕破的？"

51

弹琴的路易——夏威夷渔夫

路易每天都把他的渔网撒进水里。
每天，他都会把已经装满鱼的渔网从水里拖出来。

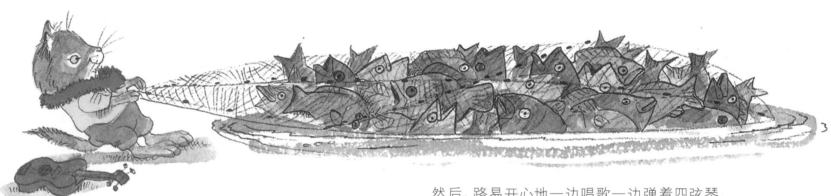

然后，路易开心地一边唱歌一边弹着四弦琴，把捕到的鱼卖给他的好朋友乔。乔开着一家餐厅。

"我希望不用每天去捕鱼，而是在餐厅里做一名厨师，"路易对乔说，"我会做各种各样好吃的东西。嗯——！"

"很好，"乔说，"那就戴上厨师帽，到厨房里去让我看看你都会做什么菜。我得出去一趟但是很快会回来。弄干净点！"
乔说完就离开了，于是，路易走进了厨房。

路易把鱼放进冰箱里。
他在取鸡蛋的时候，打翻了牛奶。

他把一瓶醋倒进碗里，又放进两打鸡蛋，
然后，用打蛋器开始搅拌。

之后，他去水槽清洗打蛋器，
却忘记关掉水龙头。

他想在碗里加点番茄酱却怎么
也倒不出来。他使劲地晃动瓶子。
番茄酱倒出来了。

他捧着碗穿过厨房。
这时候门突然打开了。

乔回来了。
"恐怕你不是个称职的厨师，"乔说，
"你应该用苹果酱代替番茄酱。"
"是啊，我觉得你是对的。"路易说。

于是，路易又回去捕鱼了。一边唱歌一边弹
着他的四弦琴，路易再也不想当什么厨师了。

53

在罗马交好运

费德和玛利亚第一次来罗马玩。他们听说这儿有一座著名的喷泉，把硬币扔进去就能交好运。

费德停下车，向两名意大利宪兵询问"好运喷泉"怎么走。

可现在他们来不及为费德指路了……

……费德的车自己开跑了! 可怜的玛利亚不会开车, 不知道怎么把车停下来!

凯撒大帝

"救命，救命啊！"玛利亚大声呼救。

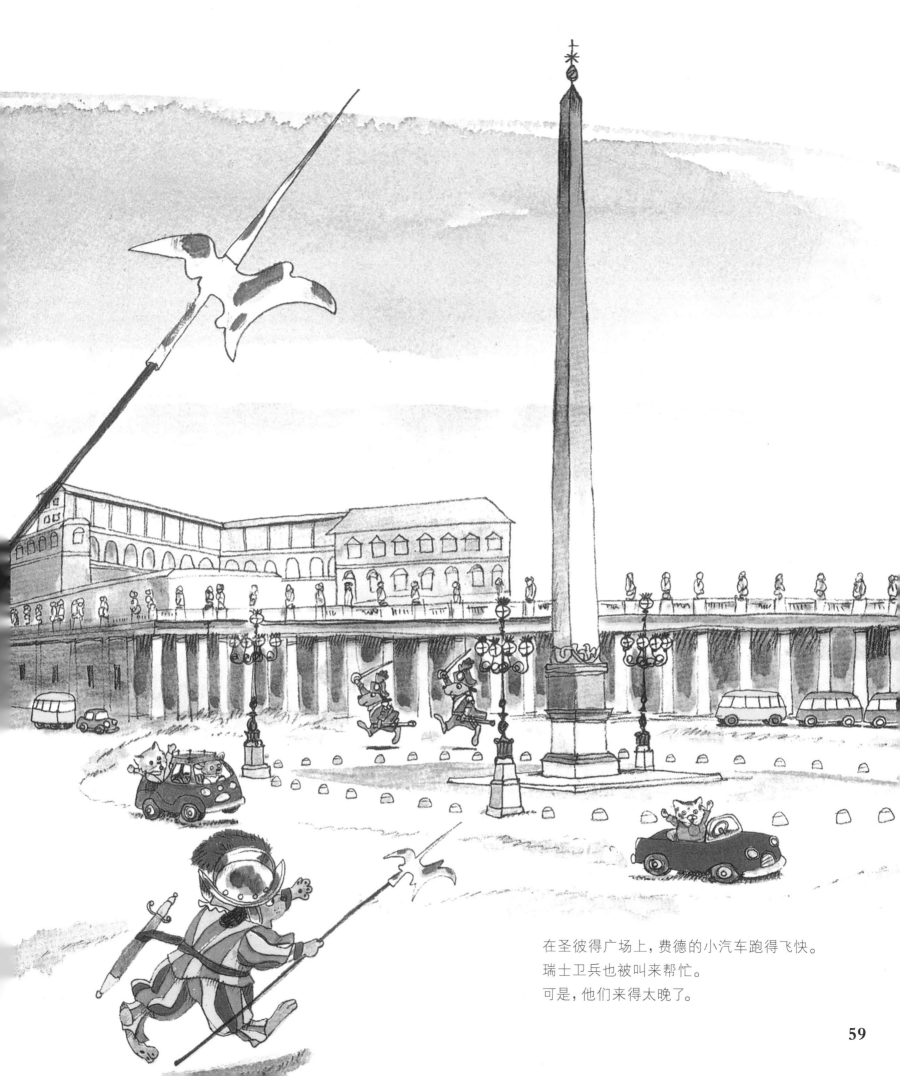

在圣彼得广场上，费德的小汽车跑得飞快。
瑞士卫兵也被叫来帮忙。
可是，他们来得太晚了。

59

小汽车直直地冲下了西班牙阶梯，
摔了个稀里哗啦！

60

沿着狭窄的小街……

……一直滚进了那座他们正在找的"能带来好运"的喷泉里。

"你们一定会交好运的,"追上来的宪兵气喘吁吁地说,"别人只要投进一枚硬币就能交好运。看看你们!你们扔进去了整部汽车!一定会交上好运的!"

墨西哥的曼纽尔

曼纽尔的妻子弄破了她煮饭用的锅。她需要一个新锅来煮豆子，豆子是他们家今天的晚餐。

曼纽尔很喜欢去集市，热闹的市场让他兴奋不已，连路都来不及看清楚。他不小心踢破了一口放在地上的锅，只好赔钱给人家去修理。

猪小姐正在路边的锅里煮豆子。曼纽尔一不小心踩了进去，又赶紧说对不起。

猪小姐煮的豆子很香，曼纽尔觉得自己饿了。于是，他到穿山甲阿玛迪开的饭馆点了一碗豆子。

他吃完豆子后，不小心又碰翻了阿玛迪盛
豆子的锅，豆子撒了一地。

"我该回家了，"曼纽尔对自己说，"我好像
忘记了什么事，是什么事呢，我想不起来了。"

他又没看路一头撞上正在干
活的大狗。

一口锅掉下来正好落在他头
上。"啊哈，我现在想起来了，"
曼纽尔说，"我是来买锅的。"

真糟糕啊，那口锅粘在他头上拿不下来了。
他回家见到妻子。

"我没忘记带锅回来。"他说。

他妻子只好把锅打破才能救出他的脑袋。
那天晚上，曼纽尔只好吃没煮过的冷豆子当晚饭了。

格里普和格罗普——希腊油漆匠

猪太太叫格里普和格罗普两兄弟到她家来刷油漆。

猪太太不介意他们用什么颜色的油漆漆房子里面,但她要求房子外面一定要漆成蓝色和白色。

猪太太要去商店买东西,她让格里普和格罗普帮忙照顾一下她的小儿子珀斯。

"记住外面要漆成蓝色和白色哦!"她走的时候再三叮嘱。

格里普把客厅漆得很漂亮。

格罗普在珀斯的卧室墙上画了一只滑稽的大灰狼。

他们一起，在厨房的天花板上画了个快乐的太阳。
完成屋里所有的活后，他们准备油漆屋外面。
"别忘了……蓝色和白色。"格里普对格罗普说。

格里普用蓝色和白色漆了两面墙。

格罗普也用蓝色和白色漆了另外两面墙。

看！他们完工了。他们用蓝色和白色把整栋屋子
漆得非常漂亮。但是，房屋的一半是蓝色的墙白色
的窗户，另一半却是白色的墙和蓝色的窗户。
猪太太肯定会生气吧？

可是，当猪太太回家后，看到房子却非常高兴，
"噢，这样看起来像是有了两栋房子！"
那天晚上，猪太太给她的小珀斯好好地洗了个澡。

库卡波——非洲摄影师

库卡波是名摄影师，他为长颈鹿、斑马及其他动物拍照。但他从来不给狮子拍照。你知道是什么原因吗？因为啊，他很害怕狮子！

一天，他告别妻子，带着他的摄影机开车去草原，他要去很远的地方拍斑马。

当夜晚降临的时候，他把帐篷支了起来。吃过晚餐他又弹了会儿琴，然后进入了梦乡。

他睡着没多久，他的帐篷前就来了很多的客人，是狮子！！

"看那个娃娃多好玩啊。"狮子家的小女儿指着库卡波说。

"我想知道这个机器是干什么用的？"狮子爸爸说。他随便摁下了一个按钮，摄影机开始工作了。

嗡——

而后，狮子爸爸拿起库卡波的琴，边弹边唱了起来。

狮子女儿把库卡波从床上抱起来，像抱着洋娃娃一样，跳起了舞。

库卡波没有醒。

这时候，狮子家的一对双胞胎宝宝开始哭了起来。

"把那个玩具放回床上去，"狮子妈妈大声地咆哮，"我们得离开了。"

狮子女儿听话地把库卡波放了回去。发生的这一切，库卡波都一直在睡梦里。

嗡——嗒！
摄影机停了。

早上的时候，库卡波开车回家了。

当他给妻子放映拍摄的影片时，简直惊呆了！

"噢，你以前是假装的！"他的妻子说，"你根本就不怕狮子！"

从此以后，库卡波真的不怕狮子了。

在东京赶火车

这是多利。他正从托儿所回家，他着急去赶火车呢。

这是甲虫亚齐。他要带朵玫瑰回家送给漂亮的妻子。

还有许多人，奔跑着往火车站赶。快！快！快！别误了火车。

别推！别推！每个人都有位置！

谁会是第一个上火车的人呢？我想应该是苏女士。她扛了一根又大又胖的圆香肠，准备回去当晚餐。

多利是最后一个挤上火车的，而且，是车站工作人员把他塞上去的。

火车驶离了站台。轰隆——轰隆——轰隆，大家都踏上了回家的路。

火车到了终点站，所有人都下了车。苏女士还扛着那根又大又胖的圆香肠。哦，不！看看那香肠最后变成了什么样！可怜的大香肠被挤了一路……挤啊挤啊……

天啊，最后它变成了一条多么奇怪的香肠啊！

安古斯——苏格兰风笛手

当安古斯警官说"停!"的时候，大家都会听见并停下脚步。

他让车辆都停下来，因为麦金一家要过马路。

他让两个调皮孩子停止打架。

他要求桑迪停止在草地上跳舞。

一整天啊，他都忙于告诉人们不要这样，不要那样。

现在他终于可以回家去了，可以开心地演奏他的风笛了。

安古斯一边吹着风笛一边踏步前进。
风笛发出尖锐刺耳的声音。
他吹得真难听啊！
吱吱——啦啦——

他的风笛声传遍了整个小镇。

"安古斯，停下来不要再吹了！"大家都在喊。但安古斯吹的声音太大了，他根本听不见大家的喊声。

他继续吹着，吹得越来越响，风笛胀得越来越大。

"安古斯，请停止吹风笛！！！"大家喊得更大声了。
他还是听不见。

他越吹越响，风笛还在不停地膨胀。

"安古斯！！停下来！！！"大家怒吼着。

最后，风笛爆开了，安古斯终于停下来了。

波兰的傻农夫

农夫波尔卡喜欢养棕色羽毛的鸡。他觉得这种鸡下的蛋要比羽毛带斑点的鸡好。

农夫多塔住在隔壁。和波尔卡正好相反，他喜欢养羽毛带斑点的鸡。他认为棕色羽毛的鸡下的蛋不如斑点羽毛的鸡。

波尔卡和多塔整天为了这件事争来吵去。如果他们多花点儿时间一起工作一起玩游戏会更好。

一天，他们又开始像平常那样争吵起来，"我的母鸡下的蛋比你的好。"波尔卡说。

他们都放下了手中装蛋的桶，动手打了起来……

哎，这两头笨猪！

他们打过来打过去
直到两头笨猪都打不动了，才停了手。

他们去拿各自装鸡蛋的桶时，
才发现两个桶一模一样，于是谁也
分不出来哪个是自己的了。

"我们以前真傻啊，"他俩说，"以后我
们还是一起劳动一起玩耍，做好朋友吧。"

好了，你看这两个家伙现在多好啊。他们拆掉了隔在两个院子中间的篱笆，养了各种颜色的鸡，有棕色、
红色、黑色、白色，还有斑点的。他们又养了鸵鸟！这些蛋差不多完全一样。哦——除了鸵鸟蛋。

芬兰的快乐拉比

快乐拉比生活在芬兰遥远的北方。

拉比的爸爸为圣诞老人照顾驯鹿。每年快到圣诞节的时候，他就给驯鹿套上绳子，然后把它们送到圣诞老人那里去。

驯鹿长得很强壮，小拉比还没办法给它们套上绳索。

"当你长得又高又壮的时候，"爸爸对拉比说，"就来帮圣诞老人套驯鹿吧。"

为了那一天快点到来，小拉比经常拿着绳子练习。

拉比的姐姐在头上举了两根树枝，假装是只驯鹿。拉比在后面追赶她。她跑到小山包后面就不见了，拉比扔出了他的绳套——套住啦！

可是，套住的不是姐姐！小拉比套住的是一头圣诞老人的驯鹿！看起来它根本不愿意被人套住。

驯鹿越跑越快，小拉比紧紧地抓住绳子不肯撒手。

他们跑了很多圈了…… 拉比还是不松手。驯鹿实在累得跑不动了，只好停了下来。

拉比的父亲非常高兴。"你已经长大了，可以自己套驯鹿了。"他说，"从现在开始你来照看它们吧。快过来，我们要把驯鹿都套起来，然后送到圣诞老人那里去。说不定他给你们每个人都准备了一份礼物呢。"

当然了，圣诞老人一定会这样做的。拉比和他的姐姐都收到了一份礼物，他们非常快乐！

小猪帕特里克学说话

大家都知道，爱尔兰人非常喜欢说啊……说啊……说。

只有小猪帕特里克不这样。他只会发出"呼噜呼噜"的声音。

"不会说话可真丢人啊。"帕特里克的爸爸说，"我们得带他去布拉尼城堡，让他亲吻那块可以教会人说话的布拉尼石头。"

大家都知道，如果你亲吻了神奇的布拉尼石头，从此会打开话匣子，整天说个不停。

帕特里克一家坐上马车向城堡进发。"呼噜呼噜。"帕特里克说。

他们爬到城堡的顶端，布拉尼石头就在那里。当小猪亲吻石头的时候，他的爸爸紧紧地抓着他。

"看看我们的小伙子，现在会说话了吗？"爸爸说。
帕特里克一下子说出了一大堆爱尔兰人都知道的人名！
他的爸爸和妈妈太高兴了。

"帕特里克现在真的是个能说会道的爱尔
兰人了，"他爸爸说，"来吧，我们可以回家了。"

在回家的路上，帕特里克一直在不停地说
话。他不是在讲爱尔兰民间故事就是唱着古老
的歌曲。

"难道这孩子不会停下来吗？"
他的爸爸开始担心起来。

帕特里克又开始一个个地说出爱尔兰所有
国王的名字……
"你知道有什么办法可以让他不说话吗？"
他爸爸问他妈妈。
帕特里克的妈妈知道有一个办法可以让儿
子停止说话，但是她不能告诉丈夫。因为就像
你看到的，他唯一会说的就是"呼噜"……
所以，帕特里克的爸爸一直都没找到让儿
子停下来的办法。

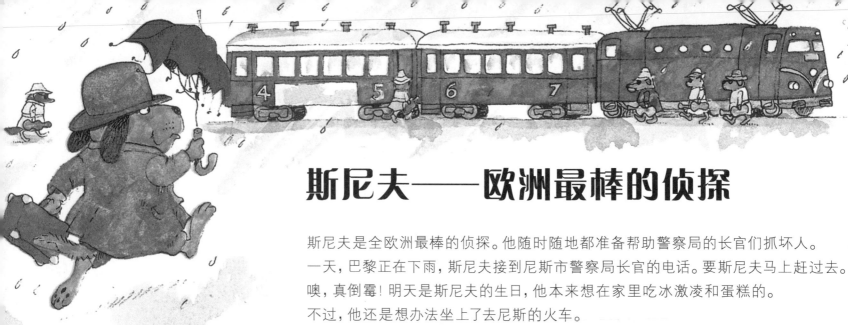

斯尼夫——欧洲最棒的侦探

斯尼夫是全欧洲最棒的侦探。他随时随地都准备帮助警察局的长官们抓坏人。

一天,巴黎正在下雨,斯尼夫接到尼斯市警察局长官的电话。要斯尼夫马上赶过去。

噢,真倒霉!明天是斯尼夫的生日,他本来想在家里吃冰激凌和蛋糕的。

不过,他还是想办法坐上了去尼斯的火车。

当列车长带他去包厢的时候,斯尼夫对自己说: "那些看起来不像好人的家伙到底是谁呢?"

"他们好像都在看我!" 斯尼夫有点害怕。

那天晚上,斯尼夫好像看到从每个车站都上来一些打扮得像坏蛋一样的人。

他们每个人都背着提琴盒!他们要做什么坏事吗? 斯尼夫非常害怕!他躲在床下不停地发抖。

火车在早上的时候到达了尼斯。斯尼夫从床下爬出来，看到那些神秘男人正注视着他。

外面太阳很大，他在下火车之前带上了保护眼睛的太阳镜。

你猜得出斯尼夫刚下火车看到了什么吗？噢，他看见全欧洲的警察局长都在那里！

他们扔掉伪装，开始拉起了小提琴。

他们一边拉琴一边对斯尼夫说："亲爱的斯尼夫，祝你生日快乐！"

真是个让人惊喜的生日聚会啊！

于是，他们一起去了海边，那里有很多美味的冰激凌和蛋糕，大家吃了个够。这是斯尼夫长这么大以来，过的最开心的一个生日！

以色列的沙罗

可怜的沙罗有个妻子，她总是对沙罗喊："别忘了这个，别忘了那个！"

沙罗准备盖一所新房子。每当他要去干活的时候，他的妻子就要进城去看她的妈妈。

临走前，她又对沙罗喊道："别忘记给房子加上门和窗户，还有房子应该有的东西！"

"总算能安静点了。"沙罗心里想。

沙罗开始盖他们的新房子了。一开始，他用混凝土砖砌好墙。沙罗没有忘记为窗户留下位置。

然后，他在墙面刷上灰泥。

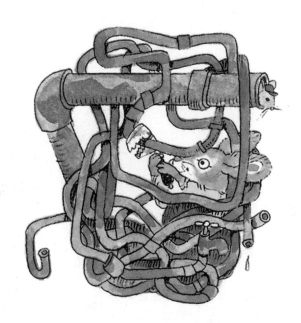

他在厨房里放上炉子，……在浴室放上洗手池，……还在客厅装了电话。

他没有忘记把水管放进墙里。　　他也没忘记装上窗户。

他没忘记盖上烟囱。

沙罗做的最后一件事是铺上漂亮的橘黄色屋顶。
噢,不! 他忘记装门了!

当他妻子回来的时候会说什么呢?
看! 她回来了! 天啊,她的车开得真快!

我的天啊,她忘记停车了! 她在每面墙上
都留下了一个大洞。

沙罗在妻子撞出来的一个洞里装了前门,
另外一个洞里装了后门。

从此,她再也不对沙罗喊什么了。

沙罗真幸运啊!

斯莫奇——纽约消防队员

斯莫奇正在消防队里打盹。

看！有黑烟从凯瑟琳家的窗户冒出来了！

救火警铃响起来了！零——零——！！

斯莫奇飞快地戴上帽子，穿上靴子和雨衣。

他顺着杆往下滑，正好坐进救火车里。

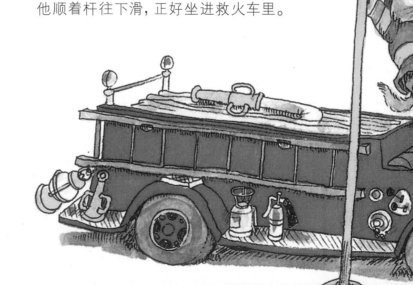

叮当! 叮当! 大家把路让出来!
墨菲警官让两边的车辆都停下来。

一辆装满馅饼的卡车没来得及让开。
　哦, 天上到处都是蓝莓馅饼……还有,
快看那送馅饼的家伙? !

凯瑟琳在窗边大喊："救命！"

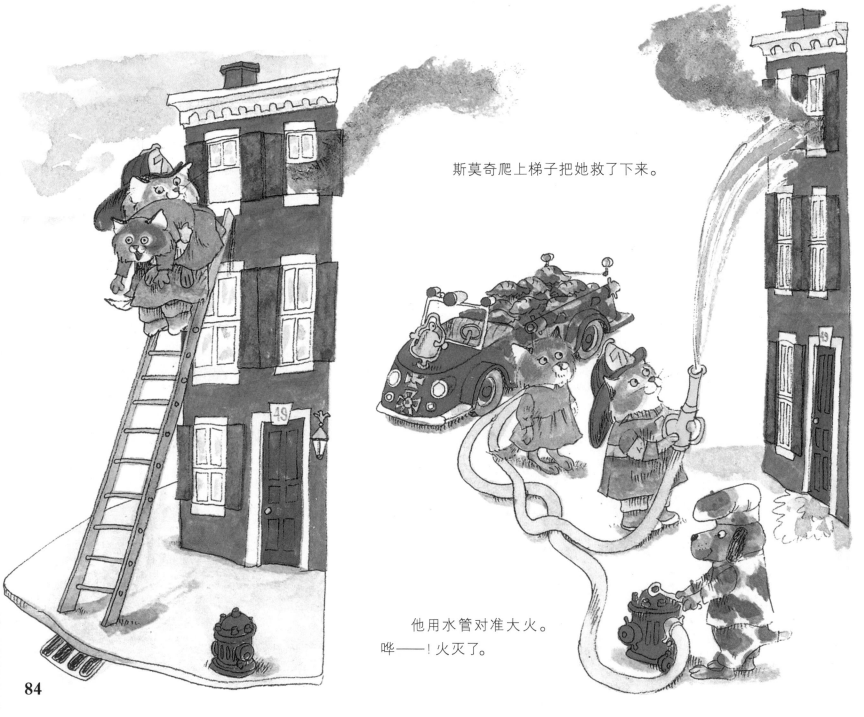

斯莫奇爬上梯子把她救了下来。

他用水管对准大火。
哗——！火灭了。

他又把水管对准救火车。哗——！
救火车又变成红色的了。

这次，他对准的是送馅饼的家伙。
哗——！他又变干净了。

然后，他们一起走进屋里去了解起火的原因。原来呀，是一个蓝莓馅饼在炉子上烧着了。

于是，凯瑟琳又重新做了一个……

大家一起坐下来把它吃光了。

滑稽的奥地利人史通伯

史通伯是个不爱干净但很滑稽的家伙，他从来不把东西整整齐齐地放好，而是乱七八糟地扔进橱柜里。

他把大号扔进了橱柜。

手套、夹克、耙子统统扔进了橱柜，连厨房用的炉子也被他放了进去。

所以，每次他想找什么东西时，总是找不着。

星期六晚上有个音乐会，史通伯想为大家演奏大号。可他花了整整两天的时间才把大号找出来。

现在，他总算可以去参加音乐会了。

史通伯把大号顶在头上，倒骑着自行车上路了。

"看那个史通伯，真是个可笑的家伙，"镇上的人都这么说，"等着瞧吧，他待会在音乐会上肯定还会闹笑话的！"

音乐会就要开始了。"一、二、三，开始！"乐队指挥命令大家开始演奏。

史通伯鼓着腮帮子吹起了大号。可是，一点声音都没发出来。

他加大了力气，可大号还是不出声。这下他急了，深深地吸了口气，使出全身的劲儿一吹……

噼里啪啦——砰!

"天哪,史通伯真是太可笑了!"

全镇的人都大笑起来。

玛蒂尔达
——澳大利亚护士

玛蒂尔达护士在医院里忙碌地工作着。她给嗓子痛的安提喂了药。

她把冰袋放在发烧的卡索头上，又为他量了体温。

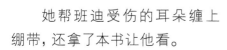

她帮班迪受伤的耳朵缠上绷带，还拿了本书让他看。

她在倒满橙汁的玻璃杯里，插上根稻草，这样，山羊果特就可以自己喝橙汁了。

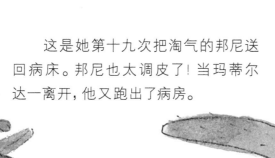

这是她第十九次把淘气的邦尼送回病床。邦尼也太调皮了！当玛蒂尔达一离开，他又跑出了病房。

玛蒂尔达护士现在要去干什么呢？

89

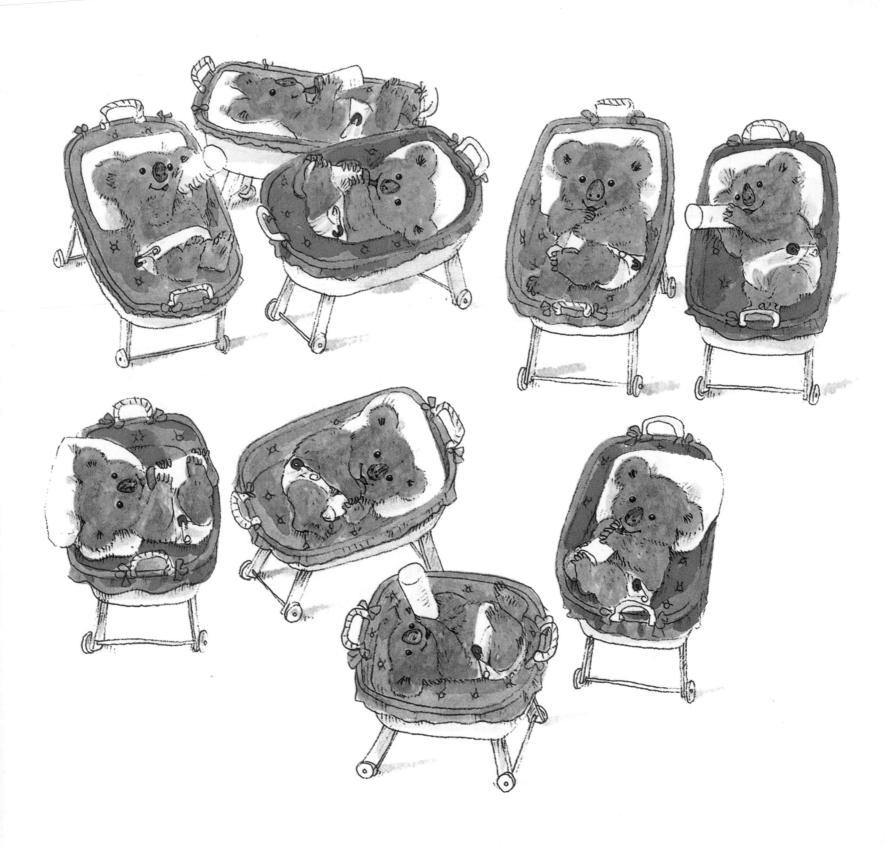

哦，她要去给可爱的考拉宝宝们喂奶。现在，每个宝宝都开心地抱着奶瓶喝奶。但是，玛蒂尔达手里还剩了一个奶瓶。你知道是给谁的吗？

当然，是给她自己的宝宝比利的啦！
把奶都喝了吧！可爱的小袋鼠比利。

看！那是谁骑着自行车准备回家呀？
是史通伯！
他在大号身上画了张可爱的笑脸。
哎，他真是个有趣的家伙！

完

我希望他这次会记得把大号干干净净地放进橱柜里。
你希望吗？
你是不是在上床睡觉前，
也忘记过把大号放进橱柜呢？

北美洲

南美洲

非洲

加拿大

苏格兰

丹麦

挪威

爱尔兰

伦敦

纽约

荷兰

阿尔及尔

墨西哥

比利时

夏威夷

法国

罗马

尼斯

威尼斯

里约热内卢

摩纳哥

希腊

欧洲

亚洲

瑞典

芬兰

俄罗斯

波兰

德国

奥地利

印度

东京

中国香港

瑞士

以色列

埃及

非洲

澳大利亚

澳大利亚

图书在版编目（CIP）数据

热热闹闹的世界／（美）斯凯瑞编绘；康宁译.
—贵阳：贵州人民出版社，2009.7
（蒲公英图画书馆．金色童书系列）
ISBN 978-7-221-08672-3

Ⅰ.热… Ⅱ.①斯…②康… Ⅲ.图画故事—美国
—现代 Ⅳ.I712.85

中国版本图书馆 CIP 数据核字（2009）第 160880 号

热热闹闹的世界　[美]理查德·斯凯瑞 著　康宁 译

出版人	曹维琼
策　划	远流经典文化
执行策划	颜小鹏 李奇峰
责任编辑	苏 桦 颜小鹏
设计制作	RINKONG 平面设计工作室
	贵州出版集团公司
出　版	贵州人民出版社
地　址	贵阳市中华北路 289 号
电　话	010-85805785（编辑部）
	0851-6828477（发行部）
网　址	www.poogoyo.com
印　制	北京国彩印刷有限公司（010-69599001）
版　次	2009 年 10 月第一版
印　次	2011 年 10 月第三次印刷
成品尺寸	250mm×285mm　1/12
印　张	8
定　价	26.80 元